code: 016
code:

stampede
mode

007
漫画 矢吹健太朗
原作 Code:000
JUMP COMICS+

characters

Strelizia

Code:016

ヒロ

かつて神童と呼ばれながら落第してしまった操縦者《パラサイト》候補生。ゼロツーとの3回目の搭乗を乗り越え、晴れて正式なパートナーとなった。

Code:002

ゼロツー

APE《エイプ》直属特殊親衛部隊の雌式操縦者《ビスティルパラサイト》。叫竜《きょりゅう》の血をひいており、彼女と3回一緒にFRANXX《フランクス》に乗った操縦者《パラサイト》は命を落とす事から"パートナー殺し"の異名を持つ。

Delphinium

Code:056

ゴロー

ヒロとイチゴとは昔馴染み。イチゴへ自分の想いを伝えた。

Code:015

イチゴ

13部隊のリーダーであり、責任感の強い少女。ヒロの事をずっと気にかけている。

Argentea

Code:666

ゾロメ

感情的なところもあるが憎めない少年。いつかオトナになれる事を願っている。

Code:390

ミク

明るく天真爛漫。ワガママで負けず嫌いだが、ゾロメとはなんだかんだで良いコンビ。

Code:214
フトシ

Code:556
ココロ

Genista

マイペースで能天気。
食べる事が大好き。

優しくおっとりした性格。出産の仕組みに興味を持つ。

Code:326
ミツル

Code:196
イクノ

Chlorophytum

プライドが高く、ヒロに対して激しいライバル心を持つ。過去に原因が…？

あまり感情を表に出さない物静かな少女。いつも本を読んでいる。

ヴェルナー博士

FRANXX《フランクス》を開発した科学者。

ハチ

APE《エイプ》作戦本部
都市防衛作戦司令官。

ナナ

APE《エイプ》作戦本部
パラサイト管理官。

Code:
001

叫竜《きょりゅう》達を統べる姫で、FRANXX《フランクス》を自在に操る。

9'δ《ナインデルタ》

「9's《ナインズ》」のメンバー。Code:001から接続《コネクト》され、意識不明に。

9'α《ナインアルファ》

APE《エイプ》直属特殊親衛部隊「9's《ナインズ》」のリーダー。Code:001との戦闘で重傷を負う。

story

謎の巨大生命体「叫竜《きょりゅう》」に対抗すべく開発された人型ロボット兵器「FRANXX《フランクス》」。それを操り、人類を守る使命を与えられたのは、まだ幼さの残るコドモ達であった———。グランクレバス北東部で交戦中の9's《ナインズ》の前に突如現れた叫竜《きょりゅう》の姫。彼女の力で変質した九式《きゅうしき》によって9's《ナインズ》はα《アルファ》とδ《デルタ》を除き全滅してしまう。重傷を負ったα《アルファ》が辿り着いたのは、13都市であった。操縦者《パラサイト》としての復帰が絶望的なα《アルファ》とδ《デルタ》を処分するという会話を聞いたココロを中心に、ヒロ達はナナとハチに2人を助けたいと訴えかけるのだった——!!

007

contents

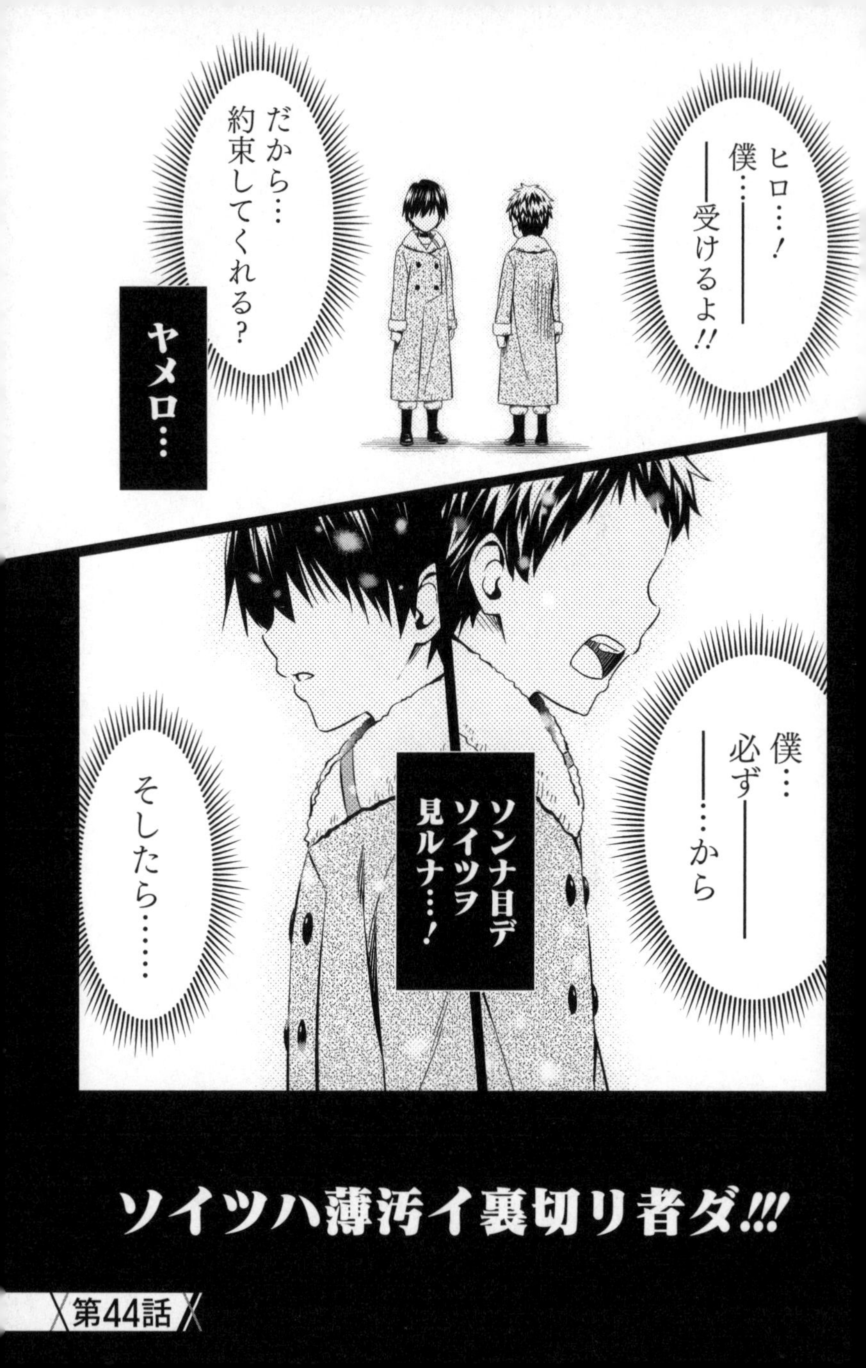

ヒロ…!
僕…——受けるよ!!
だから…約束してくれる?
ヤメロ…
僕…必ず——…から
ソンナ目デソイツヲ見ルナ…!
そしたら……
ソイツハ薄汚イ裏切り者ダ!!!
第44話

おーす
ミツル
珍しいじゃん
お前が
寝坊なんて
………
はぁ
はぁ
くそっ…！

ふふ…
ほぉら
お花さん
いい匂いでしょ？
…なんのマネですか
ビくっ
ひゃあっ

…ミ
ミツルくん…
…これは…
はじめての出産
人間は…どうして子供を産まなくなったのかな…？
……
…必要なくなったからでしょう

オトナたちを見れば明白です
生きていくのに他人は必要ない……
ミツルくん…
なんだか今日は顔色が悪いみたい…大丈夫？
なんともないですよ
はじめての出産
それより9's《ナインズ》のほうはどうです？
食事持って行ったんでしょう
うん…決めた通りみんなの食事を少しずつ集めてα《アルファ》くんに持って行ったよ
でもあの人たち
…食事は必要ないらしいの
!?

僕ら9's《ナインズ》の身体は代謝を完全にコントロールできて風呂もトイレも必要ない
食事もね…ι《イオタ》と同じさ
じゃあ俺もらっちゃうね！
ι《イオタ》…ってゼロツーちゃん？
ゼロツーちゃんはお風呂も食事もしてると思うけど
…そこが不思議なんだよねぇ
必要ないことをわざわざする意味…
理解できない

なぜι《イオタ》は僕らと近い能力を持ちながら
人間と同じように暮らそうとしているのか…
ゼロツー……
…僕たちは…この世界のことを知らなすぎるのかもしれませんね
「叫竜《きょりゅう》の血を引く少女」……
9's《ナインズ》も…近い存在…？
そうだね…

ミツルが？
そ！
ココロのいる温室のほうに行くの見たよ
なーんか怪しいよねぇ あの2人♡
……

どうした？
コード016
ナオミ…
コード703のことを
聞きたいんです
どうなったのか
———…
彼女の処遇には
私は関知していない
しかしコード703を
特別扱いする
理由はない
剪定《プルーニング》された…
と考えるのが
妥当だろうな…
ずっとそうやって
来たんですね
オトナは…
賢人《パパ》たちは…
そうだ

…君の気持ちは わからなくも ない…
かつて私も… ナナも同じ気持ちを 味わった
!
そして彼女は その記憶を 抹消《まっしょう》された
私たちは再教育の後 コドモでもオトナでも 無い存在…「ナナ」と「ハチ」となった
各都市に2人… コドモたちを統率する 重要な任務だ
私は……何も できなかった…
しかしコード016… かつてのパートナーを 気にかけるのも いいが
君には現在《いま》 やるべきことが あるはずだ

…わかってます
ドドドドドドド

はあああッ
ゼロツー!!
前に出過ぎだ!!

いいんだよ
ダーリン!!
こんな奴ら
ボク1人で
充分だ
ボクは!!
叫竜《きょりゅう》を1匹残らず
殺して！
殺して!!
殺しまくらなきゃ
……!!!
どうして
そんな…
…ツノか!?

君のツノが以前より伸びたことと関係あるのか!?
教えてくれゼロツー!!
俺は君のことをもっと……
……
知りたい!!
うるさいな……

キミには関係ないよ…
ある!!
俺は君に添い遂げると誓った!!
……
ドドォン
…何か…普通じゃないね ゼロツー…
ヒロ…

…情があるみたいに喋るなよ…
……ッ
ミツル？
お前はそんな人間じゃないだろ
ヒロ………!!

医務室…
行ったほうが
いいんじゃない？
ヨロ…
…ほっといてください
イクノに迷惑は
かけませんよ…
……
…そう
ミツルー!!

ココロちゃんを賭けて…
俺と勝負しろっ!!
フトシ!?
ココロちゃんは俺のパートナーなんだっ!
俺が勝ったら もう馴れ馴れしくするのはやめてもらう!!!
ドサッ
ちょっとフトシ…
あんた何言っ――…

へ？
ミ…
ミツル!?
ど…
どーしたんだよ
おいっ
しっかり
しろーー!!

第45話
……
騒がしいね
何事だい？
フトシ 足元
気をつけて！
ガタ…
ミツル！
あとちょっとで
医務室だぞっ
9'α《ナインテルファ》…！

…なるほど
ベッドへ
僕が診よう
え？
でも…
本来なら君たちの体調管理は ここの「ナナ」の仕事だけど
彼女も今 余裕なさそうだし――…
心配いらない それなりの医療知識はあるよ
9's《ナインズ》だからね…
……

…コドモ熱……だな
血中の黄血球《おうけっきゅう》数値が著しく不安定になっている
黄血球《おうけっきゅう》…!?
このまま数値が低下すれば
コード326はFRANXX《フランクス》を動かせなくなる
そう…
知っての通り操縦者《パラサイト》の体内に存在しFRANXX《フランクス》と接続《コネクト》するのに必要な物質だ
!!

…ッ
冗談じゃない…！
ミツル！
だめだよ起きちゃ…!!
コード326
君の個人《パーソナル》データ見せてもらったよ
君は幼少期――
育成所《ガーデン》時代に〝エリキシル注射《インジェクション》〟を打っているね
!
エリキシル…それって…？
……
高濃度の黄血球《おうけっきゅう》増殖誘導剤…

操縦者《パラサイト》適性を飛躍的に向上させる代わりに副作用が強い……
生存率は…確か15%の薬
お前…
そんな危険な注射打ってたのかよ…
……
適性値の低い僕には……そうするしかなかった…
……

…とりあえず解熱剤は投与しておくよ
ガタ…
君…点滴の準備手伝って
…これは僕の勘だけど
おそらく原因は
君の心の中にあるね

不安定な精神は
肉体にも影響を
及ぼす――…
つくづく
君たちは…
不便だね
…あなたには
そう見える
でしょうね
フトシ…
このことは
ココロさんには
黙っておいてください
また余計な
心配する
でしょうから
ミツル…
…僕は
ただ…
あの温室が
気に入ってる
だけです

花の香りをかいでいれば
嫌なことを考えずにすむ……
ココロさんはあなたのパートナーですよ
……
フトシ…

チャプ…
…そんなことがあったんだ
でもミツルは夕飯には普通に顔出してたし
もう大丈夫…かな？
どうかな…薬で熱を抑えてるだけだし
次の戦闘…まともに戦えるかどうか……
そうなったらイクノがフォローするしかないね
…無理だよ

私に……
ミツルのフォローはできない…
私は…
他人に興味がないから…
なんで?
パートナーじゃん
私が興味あるのは——…
イチゴだけ……!!

……
その名前
イチゴがつけてくれたよね…
イクノ…？
！

育成所《ガーデン》で…ヒロが始めた名前つけ遊びが流行《はや》った頃──
「イクロー」だって!
あはは変なの──
……
…はい
こうすればいいじゃん
「イクノ」!
可愛いよ

あの時から…私ずっと
イチゴだけを見てきた
そして不満だったよ
「どうしてFRANXX《フランクス》に乗るのに」
「男とか女とか」
「めんどくさいシステムがあるんだろう」……って

好きなの
イチゴのことが
……

フトシくん
ちょっといい？
ココロちゃん！
な…何!?
ミツルくん…大丈夫そう？
何か…夕飯の時も元気がなさそうだったから
…!!

ココロちゃん…
やっぱりココロちゃんはミツルのこと…
……
…言う必要ない
ココロちゃんは俺のパートナーなんだ
ミツルのことなんて…
…仕方ないよ
あの場でココロが欲しい言葉をかけたのはあんたじゃなくミツルだったんだ
ココロさんはあなたのパートナーですよ
フトシ

「このまま数値が低下すれば」
……!!
「コード326はFRANXX《フランクス》を動かせなくなる」
…フトシくん？
……
俺は——…
俺だって…ココロちゃんの欲しい言葉ぐらい……!!
だって俺は——…
…ココロちゃん

ココロちゃん
きっ…聞いて
ココロちゃんが
好きだから——…

大型級《グーテンベルク》を確認した
近傍《きんぼう》にある採掘施設を狙っているようだ
放置すれば施設を破壊した後に13都市《こちら》へ向かってくるだろう
事前に対処する
わかったわ
至急コドモたちをブリーフィングルームへ

…もう大丈夫なのか？
…ええ
まだ時々頭が痛むけどね…
そうも言ってられないわ
最後の戦い《グランクレバス》は迫っているし
今の私は……「ナナ」なんだから
そうか…
そうだな…
実は君が休んでる間にコドモたちから一つ提案があった
？

9's《ナインズ》のこと？
…いや

パートナーシャッフル?
僕の知らない所で何を勝手に…
フトシくんとイクノちゃんがハチさんに提案してくれたの
ミツルくんのためだって
……
どうしてココロさんと乗ることが僕のためになるんです
…わからない…私が役に立つのかどうか
でも…ハチさんは許可してくれた

私に…乗って
ミツルくん

ダーリン・イン・ザ・フランキス

DARLING in the FRANXX

ゴォン
ゴォン…
ゴォン…
ゴォン…
これ…何やってるんだろーな?
さぁ? S《エス》プランニングって言ってたけど
第46話
何か掘り出してるんじゃないかな
あれ掘削機だよね

どうせロクなもんじゃないよ
ゼロツー？
叫竜《きょりゅう》のニオイでむせかえりそう
……
来たよ！
あれが今度の敵……!!

アオオオオオ…
大型級《グーテンベルクきゅう》……!!
でか…
最近現れてた小型級《コンラッドきゅう》の親玉か!?
いいね!!
殺《や》りがいがある!!!

ゼロッツー!!

ダメだ!!
肉が厚くて
コアに届かない
!?
グチュ
グチュ

ズズズ…ッ
あの巨体…
小型級《コンラッドきゅう》の集合体か！
ッドドドド
来なさいっ

よろしくイクノ!!
了解!

やるじゃねーか
新コンビ!!
フトシの奴
クロロフィッツでの
初戦なのに
すごいな
…うん
イクノ…
心配しないで
イチゴ
私
もう大丈夫だから――…

好きなの
イチゴのことが――――…
……!!
いつもの髪飾り…
少し前に変えたでしょ

……
あ…
…うん
私なら
それくらい
気付くよ
前のは………
無くしたの？
新しくくれたのは
……ゴローだよね
きっと…
イクノ……
気持ち悪いでしょ

私…男ってだけで
イチゴの隣に並ぶ
権利のある奴に
すぐ嫉妬《しっと》しちゃうんだ…
イチゴを独占したくてたまらないの…！
自分勝手だよね …面倒くさいよね
なんで私……
ポタ
こうなんだろう ………

こんな自分が
…嫌になる
……
……ああ
あの時のアタシと
同じなんだ……

面倒くさくたっていいじゃん……
それ言うならアタシだって相当だよ…
アタシたち…みんな面倒くさいんだよ
…でもさ
「それでもいいかな」って最近 思い始めてるんだ
もしかしたらこういうのの積み重ねが
〝生きてる〟ってことなんじゃないかって気がして…

私…簡単には
あきらめられない…
あきらめ
られないよ…
……うん
わかってる——…

ありがとう
イクノ…
俺の提案に
乗ってくれて
ココロと
ミツルのため
……でしょ？
……うん
…あんた
すごい奴だよ
フトシ

ズッ…
ドドンッ
フトシくん…
その強さを見てると
わかるよ
フトシくんが今まで
私を守るために
遠慮して戦って
くれていたこと

…私たちも行こう ミツルくん
……了解

…パートナーシャッフルか…
コード326の数値はFRANXX《フランクス》を動かせるギリギリの状態だ
パートナーを変えてどうにかなるとは思えないが…
…なぜ……彼らのことを気にしてるんだ
僕は…

全てを失った僕たちにはもう
無関係なことなのにね……

CODE:
196

第47話

コード326……
黄血球《おうけっきゅう》数値の低下が操作性に影響を及ぼしているな…
……
仕方のないことだ
もともと彼はエリキシル注射《インジェクション》で強引に適性値を満たしただけ
本当ならとうの昔に剪定《プルーニング》されるべき不安定な器……

焦っちゃダメ
ミツルくん!!
照準は私が
微調整するから
その必要は
……!
ぐぱ
!!

ミツル！
調子悪いんだから
みんなに任せて！

ありがとう
ヒロくん!
ゼロツーちゃん!!
な…
ダーリン
あっちのも
片付けるよ
ああ!
ボゥッ
ドドドド…
……

ズズッ
ドン…
ザシュッ
ドドドドド
イチゴ!!
また来るぞ!!
!!
厄介《やっかい》だね…
ザザザザザ

あの
大型級《グーテンベルクきゅう》……
ドドド…
ズーン
バラララッ
ドスッ
小型級《コンラッドきゅう》を放出して
FRANXX《フランクス》部隊の
足止めをしつつ
採掘施設の破壊を
狙っているのか…
S《エス》プランニングの
重要性…
叫竜《ヤツら》は理解して
いるらしいな

どうするイチゴ……
……
あのデカブツのコアを潰せば済むよ!!
ゼロツー
集合体の叫竜《きょりゅう》はコアも融合して一つのはず!!
これ以上増える前に さっさとブッ殺すべきだ!!!

でもあいつの身体《からだ》は けっこう硬いよ ゼロツー
さっきみたいに 失敗したら
さらに大量に 小型級《コンラッドきゅう》をバラまいて しまうかも
ズガッ
一気に決めないと
採掘施設も 守りきれない…
砲撃だよ イチゴちゃん!!
ココロ!?

ガチャッ
ジェニスタなら近距離で撃てば衝撃でコアを露出させられると思う
その瞬間にみんなでコアを破壊してくれれば!!
なるほど…
で…でも危険だよ
今のミツルの状態じゃ……!
……!

…僕を見下すなよ……
ヒロ……！
ミツルくん？
!!

ミツルくん!? 待って…
もっとじっくり作戦を——…

ズズ…
きゃっ

ココロちゃん!!
!!
ズズン…
ジェニスタ捕獲されました
握り潰すつもりか…
メキ
メキ

キュウゥ………ン
!!
ジェニスタのポジティブパルス急減少…
機能停止!
……!!
彼らに…
何を期待していたのだ
私は……!
…そうよね
どんなにあがいても
コドモに運命を変える力なんて無い……
かつての私たちと同じように――…
アオオオ

ハッ
!!
……
はぁ…
はぁ…
……ちくしょう…
ミツルくん!?

ガコン!
ピッ
ピッ
何してるのミツルくん…!それって……
ええ…
ココロさんを脱出させて自爆装置を起動するスイッチです
FRANXX《フランクス》に2人同時に脱出するシステムは無い……
女子《ピスティル》なら暴走《スタンピード》モード
男子《ステイメン》なら自爆によって
残ったほうが1匹でも多く叫竜《きょりゅう》を倒さなくてはならない……!!

ジェニスタを駄目にしてしまうこと……謝ります
僕はもうFRANXX《フランクス》を動かすことも出来ない不能者だ
あなたと乗る資格なんて最初から無かった……
……!
さよなら…
ス…
ココロさ——
やめて!!
ピクッ

ミツルくんは不能なんかじゃない
ただ心を閉ざしているだけ……！
ミツルくんはね
もっと人を頼りにしていいんだよ……
あの時…海辺の廃墟で私を助けてくれたみたいに

…今度は私が
ミツルくんを守るから
ガチャ…
このままでは機体がもたない
早くジェニスタに通信をつなげ!!
はい！
!!

ジェニスタのネガティブパルス増大!!
これは…!!
DANGER
DANGER
DANGER
DANGER
DANGER
DANGER
DANGER

ダーリン・イン・ザ・フランキス

DARLING in the FRANXX

第48話

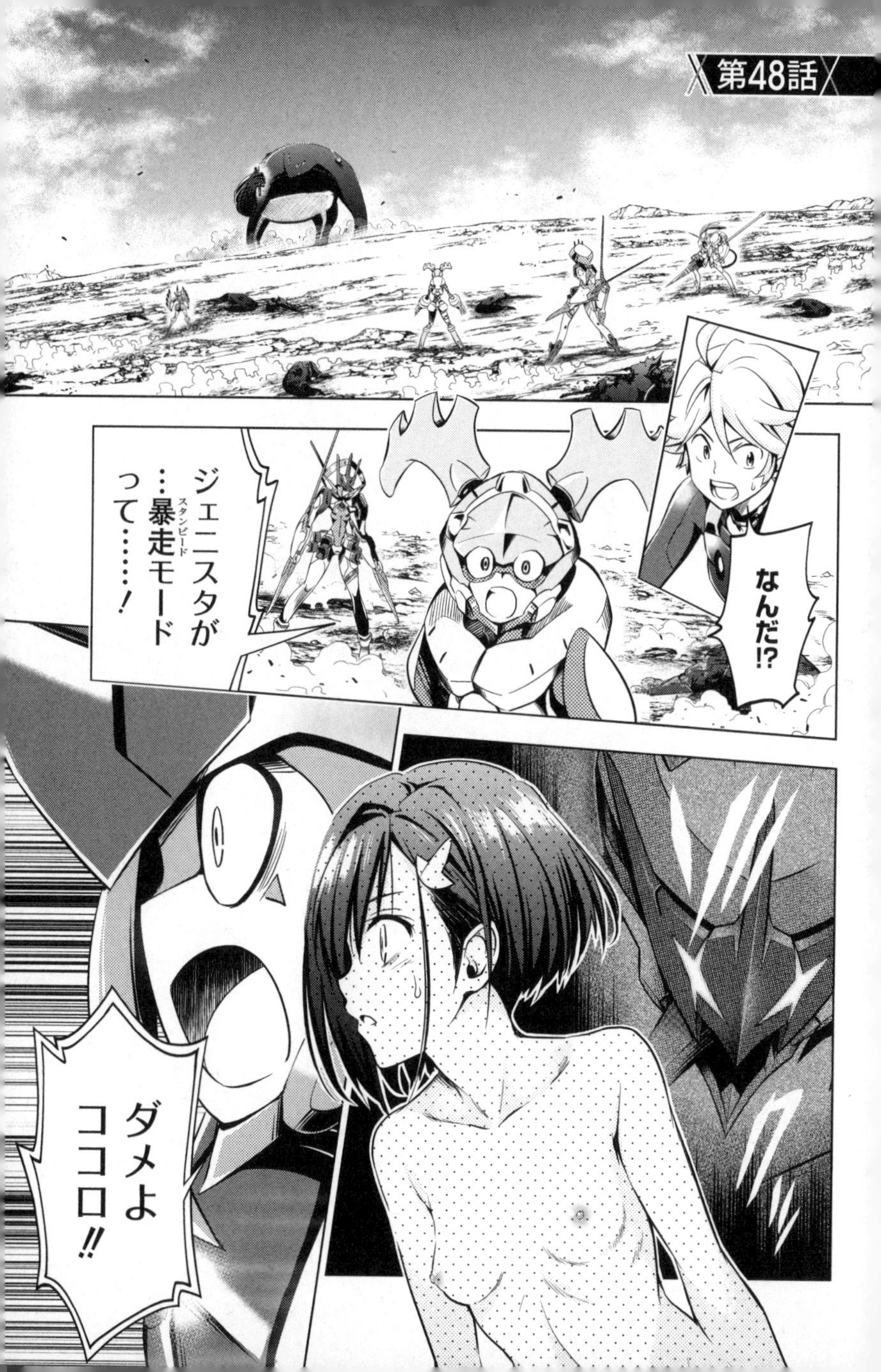
なんだ!?
ジェニスタが…暴走《スタンピード》モードって……!
ダメよ ココロ!!

ゴ
ゴ
ゴ
ゴ
メキキ
ミシ
かっ…
DANGER
う
うう
DANGER
DANGER
DANGER

あああぁあッ
ココロさん!!

メキキキ
ガ

………
ミツル…くん?
…全く…
無茶ばかりしますね…あなたは

でも…叫竜《きょりゅう》から脱出できたよ
ミツルくんが止めてくれるって…信じてたし
……
どうして…
どうしてそんな風に
人を信じられるんですか……!!

「フランクス」ってさ――…
2人で動かすロボットなんだって
ヒロみたいにすごいコドモになりたい…!!
でも…今のままじゃ「弱いからダメ」なんだ
ヒロ…!
僕…エリキシル注射《インジェクション》受けるよ!!
だから…約束してくれる?
必ず生きて戻るから…
そしたら…
僕と一緒にフランクスに…

うん
一緒に乗ろう
ミツル！
約束だ
ヒロ……
…僕がんばったよ
強くなったんだ……
ヒロとの約束守ったよ

ヒロ――……
…やくそく…？
…なんだっけ…

…
他人を信じたって…
裏切られるだけですよ!!
あんなヤツに
何かを望んだ僕が
バカだったんだ………!!!

なんで——……忘れるくらいなら……!
なんで約束なんか………!!
……ミツルくんは深く傷ついたんだね
本当なら立ち直れないくらい深く……
…でも…私だって人を傷付けてしまうこと…あるよ
ザンザンザ!!ーーー
私がミツルくんと組むのは——…フトシくんは本当は辛いってわかってた…それなのに

ココロちゃんに
近づくな!!
それでも私は
——……
ミツルくんと
乗りたかった
……
憐れみ
ですか……
……!!
才能の無かった
弱い僕への
……!!
そんなんじゃ
ない!

私…
ミツルくんのこと
好きなんだと思うから……！
……
ドオォ…
な…
何言って…
戦闘中ですよ…今………
ビリ ビリ…

…そうだね
でも言いたくなっちゃった
……
不思議だ…
この人の笑顔を見ると……
昔のことであれこれ悩んでいる自分がバカらしく思えてくる
どうして僕の心は
こんなにも——……

ドドドドド…
イチゴ!
クロロフィッツに
加勢しないと
だね!
こいつら……
行かせない
気か……!!

ミツル……何やってんだよ
ココロちゃんを守れよ!!

しまっ…
ココロちゃん!!

2人で歩こう
ミツルくん

第49話
ココロさん
あなたと一緒なら僕は——…
生きていけるのかも知れない
この世界で

一緒に歩こう
ミツルくん

ゴゴゴゴ……
ジ…
ジ!!

ジェニスタ…
軽装モード!?
気をつけろ ミツル
スピードは上がるけど 防御はガタ落ちってヤツだぞソレ!!
ドドッ
…わかってます

ココロさんを守る
約束しますよフトシ!!

……コード326の黄血球《おうけっきゅう》数値が安定した……
CODE 326
こんなことがあるの……？
……全く……
理解に苦しむね……

これが——……
ニンゲン……
……ミツル……

ヒロ・ゼロツー!!
一気に決めるよ!!!
ドゥッ

よし!!

ズズウ-----ンッ
ド
!
ザコは任せて
早く大型《アイツ》を!!

ありがとう‼
ギャオオオ

ズズズ
オオオオオ……
採掘施設を狙ってる!!
ココロ急いでっ!!

了解!!!

コアが露出した！
決めて!!
ストレリチア!!!

…全く
よく持ち直せたものねミツル……

叫竜《きょりゅう》を倒せたから良かったものの…
殺《や》られていてもおかしくはなかった
私の判断は…間違っていたのかもしれない……
…それでも賭けてみたかったんでしょ？
あのコたちに
あなたらしいわ
コドモの頃のね…

…本当にいいの？髪…切っちゃって
ええ
戦闘中に乱れるとジャマですから
少しでもリスクを減らしておきたいんです
その…
あなたを
守れるように

ヒロを許せるかどうか…僕にはまだわからない
でも……この人が側《そば》で笑ってくれるなら
虚勢を張って生きる必要は無いのかも知れない……そう思った

ココロさんのことが
好きだから――……

……また
少し大きくなってるな…

ダーリン・イン・ザ・フランキス
DARLING in the FRANXX

第50話

いや…痛みは無い
あの時とは違う……
落ち着け……
最後までゼロツーに添い遂げる
そう決めたはず
キイイ…ン
ただ…なんだろう
最近 時々聴こえる
耳鳴りのようなこの感覚――…

いや〜〜〜
最初びっくり
したぜ
知らねー奴が
来たのかと
思ったもんなァ
ほっといて
ください…
そんな顔すんなよー
ミツル！
……
別に似合ってねー
とは言ってねーだろ
そーよー
さっぱりしてて
いいんじゃない？

なんか昔のミツルに戻ったみたいだな
そう簡単に…
気持ちが変えられるなら
苦労しないですけどね…
「ミツルくんの言う〝ヒロくんが昔約束を忘れた〟って話
私なんだか気になるの」

「ヒロくんらしくないよね
何か事情があるんじゃないかな」
……
ミツル！
ズッ
ズッ
お前に一言言っとく！
くわっ
次の戦闘でもココロちゃんに無茶させる戦い方したら
俺 承知しないからな！
その時は え…とミツルのデザート俺が没収するぞっ
どーだコワいだろ!!
…はい

ヒュオオオオ
こんなとこにいた
ゼロツー

この前の戦闘…いい感じだったよ
最初は前に出過ぎたけど その後はみんなと足並みそろえて戦ったろ？
やっぱりみんな同じ部隊の仲間なんだし
これからも——…
…また少しツノが伸びた
え？

なんでだよ……
ガリッ
キミといれば……ニンゲンになれると思ったのに………
なんで――…
人間に……
ゼロツーは人間になりたいの？
一体…
また耳鳴り――！

またオマエか…
まただ
ゼロツー!?

うるさいよ…
黙れ…!!
ボクは……!!
ゼロツー…一体…
誰と話しているんだ…!?

そうか…やはり……
ゼロツーのツノは伸びているか
コード002の「竜化値《りゅうかち》」は戦闘のたびに増加しています
それに伴いパートナーであるコード016の竜化値《りゅうかち》も——……
遺伝子レベルでの変異も起こりうる数値だな
はい……
かつてのコード002のパートナーたちには見られなかった現象です

このままでは…コード016はヒトと呼べるものではなくなってしまう
パートナーを続けさせるのは危険では……博士
………
まだ結論には早い
あの小僧ならば…あるいは
あるいは……？
いや…良い
それより八チよ…私がわざわざこの13都市に足を運んだ理由……もう一つあるのだが
！

9's《ナインズ》の2人…
今も――…かくまっているな？
‼
ふん…虚偽の報告でごまかせると思ったか？
私はあのAPE《エイプ》のジジイどもほど人間というものを信用しておらんぞ
……
心配するな…別にコトを荒だてるつもりはない
ただ…気になることがある

δ《デルタ》だ
9'δ
…どういうこと
でしょうか
わからんか？
お前も九式《きゅうしき》の
レコーダーから
彼らの身に起きたことは
知っていよう
9'δ《ナインデルタ》は
あの叫竜《きょりゅう》の姫と
〝接続《コネクト》〟したのだぞ

ハチ司令！
至急お知らせしたいことが……!!
…わかった
すぐに行く…
9'δ《ナインデルタ》が…
ベッドから消えた…？

寄宿舎の中を
あちこち捜したけど
見当たらない
君たちも力を
貸して欲しい
……!
ゴオオオオオ
これが…
ニンゲンの〝巣〟か…

お前はこんなものを守るために
同胞を傷つけるのか

その先に何がある…？
ゼロツーよ…

第51話
ゼロッー…

「なんでだよ……
キミといれば……ニンゲンになれると思ったのに……』
君にとって…
俺は一体なんなんだ!?
!
……また
耳鳴りだ…

そっちもいないか？
うん
湖のほうまで捜してみたんだけどね
こっちも全然ダメ——
δ《デルタ》ちゃん…一体どこに行ったんだろう…

目が覚めたら知らない場所で怖くなっちゃったとか？
あのな〜 9'S《ナインズ》だぞ？ フトシじゃあるめーし
んだとォ!!
……
δ《デルタ》……どこに――……
ガサッ
!

ι《イオタ》!!?
なんだ今の？
……
風？

9'δ《ナインデルタ》が監視カメラに!?
はい
9's《ナインズ》のIDを使って
セキュリティを
突破しているようです
一体どういう
つもりだ…
まるで移動都市《プランテーション》の
あちこちを
見てまわるかの
ように――……
δ《デルタ》の目を通して
こちらの世界を観察
しているのだろうな

間違いあるまい
あれはコード001
叫竜《きょりゅう》の姫だ
……!
奴は…
高度な知性と
精神感応能力を
持っている

その能力を応用し
九式《きゅうしき》を奪った際の
δ《デルタ》との接続《コネクト》を
維持しているのだ
……
接続《コネクト》を
維持……!?
バカな…
FRANXX《フランクス》の
媒介なしで
そんなこと……
システム上
有り得ません
――…
いや…奴なら
有り得る
私も…かつて
奴の恐ろしさを
身をもって
味わった
!

…ソレは殺すな
妾《わらわ》のところへ連れてこい…
興奮していた……
脳に直接響く…人類以外の知性の存在

それは紛れもなく
私が見てきたものの中で
最も美しい存在《モノ》――……

叫竜《きょりゅう》の姫よ……
お前は…見に来たのか……？
この私の
罪を

……
…哀れな

同胞を苦しめ
…破壊し
お前は何も
感じないのか？
ゼロツーよ
何の話だよ…！

なんなんだ お前……
ところかまわず 頭に響く声で 呼びかけて 来やがって……
お前たちの方から 近付いている からだよ
続々と―― 虫ケラのように
叫竜《きょりゅう》を統《す》べる 妾《わらわ》のもとへ
さらにこの身体《カラダ》を 増幅器とすることで
より強固に 感応波をお前に 送ることができる
……!!
叫竜《きょりゅう》の…… 親玉…!!?

そうか…
お前も何も
知らぬのか
罪深きは
ス…
ニンゲンよな…
つくづく——…

ああああああッ
…ッ

妾《わらわ》が導いてやろう
お前の……在《あ》るべき道へ
ダーリン……

朱吹先生、第7巻
おめでとうございます!!
★ロボットマンガって実はアニメより大変だったりする所もあると思うのですが、それを続けておられる先生がすごい!
うらやましい!!
2019
ひきつづき、がんばって下さい!!

イラスト:今石洋之(アニメ「ダーリン・イン・ザ・フランキス」アクション監修)

そう…まだ見つからないのね δ《デルタ》……
はい…みんなであちこち捜してみたんですけど……
うーん…やっぱり諜報部に任せるしかないわね
あまりことを大きくしたくはなかったんだけど……
第52話

何が起きたのハチ!?
…まずいことになった
なんだ!?
FRANXX《フランクス》出撃口が……
ゴゴゴゴォ

あれは…
グルルル…
ストレリチア
暴走《スタンピード》モード!?

これから何を
すべきか…
わかるな
ゼロツー
DANGER

キイイイ…ン
ゴゴゴゴ

状況は!?
ストレリチア…移動都市《プランテーション》の外壁を昇りはじめました!!
一体…
どういうことですか!?
細かい説明をしているヒマはないのだ
お前たちだけでも戦闘準備を整えろ

ゼロツー
ドドドドド…
…いや
ストレリチアは
敵の手に
堕ちた――…

は〜〜〜〜
あちこち捜しまわって疲れたァ〜〜〜
ねさっきなんか揺れなかった？
…意外と私たちと変わらないんだね
9's《ナインズ》も
δ《デルタ》…
……
なんだって？

にらまないでよ
エリートの9's《ナインズ》も…仲間を想う気持ちは私たちと変わらないんだなって…思っただけ
……
…ふん
私もう一度δ《デルタ》ちゃん捜してくる
ココロさん
もう充分捜したじゃんココロちゃん
確かに…あてもなく捜しても……

……でも一人で不安だと思うの
δ《デルタ》ちゃん
……
…仕方ない僕も行きますよ
うん
あっミツルお前…!
どうせ止めても行きますからねココロさんは
ちきしょーわかったようなこと言いやがって!!

きゃっ
な…
なんだ!?
ゴゴォーー
叫竜《きょりゅう》か!?

!!
ちょっと
アレ…
グルルル…
ストレリチア
じゃない!?

ゴゴ
ゴッ
ぐっ…ぎぎぎ
…ッ
ゴゴ
ゴッ
抵抗するな
…ゼロツー
お前が牙をむくべき相手は
あそこにいる

破《コ》壊《ワ》せー

え!?
ちょっ ちょっちょっちょ
やばっ…

ズ
ズン
ビビビ
…

みんな大丈夫!?
イチゴちゃん!?
ググ…
ちょっと何してんのよ あんたたちっ
ミストルティンの中でFRANXX《フランクス》なんて!!

デルフィニウム
ミストルティンに多少の被害が出るのはやむをえない
ストレリチアを止めろ
……了解……
グルルル…

…さあ
ニンゲンを滅ぼせ
ゼロツー

ダーリン・イン・ザ・フランキス7（完）

ジャンプ コミックス
ダーリン・イン・ザ・フランキス
7

2020年1月9日　第1刷発行

著　者　Code:000
©ダーリン・イン・ザ・フランキス製作委員会
矢吹健太朗
©Kentaro Yabuki 2020

編　集　株式会社 ホーム社
〒101-0051
東京都千代田区神田神保町3丁目29番地　共同ビル
電話　東京　03(5211)2651

発行人　北畠輝幸

発行所　株式会社 集英社
〒101-8050
東京都千代田区一ツ橋2丁目5番10号
電話　東京
編集部　03(3230)6133
販売部　03(3230)6393(書店専用)
読者係　03(3230)6076
Printed in Japan

製版所　株式会社 コスモグラフィック

印刷所　株式会社 廣済堂

ISBN978-4-08-882196-2 C9979

■初出／少年ジャンプ+ 2019年24号、26号、28号、30号、32号、34号、38号、40号、42号掲載分収録
■編集協力／現代書院
■カバー、表紙デザイン／石山武彦(Freiheit)